Trimestre maldito

Serie
Aventura joven

Título
Trimestre maldito

Autores
Elvira Sancho y Jordi Surís

FSC
www.fsc.org
MIXTO
Papel procedente de
fuentes responsables
FSC™ C134275

Coordinación editorial
Agustín Garmendia

Edición
Mª Ángeles González

Diseño e ilustración de cubierta
Àngel Viola

Diseño interior
Jasmina Car y Óscar García Ortega

Maquetación
Juan Carlos P. Romero

Ilustraciones
Ferni, Digiatlas

Voz
Dianne Moiz Ingosa

Grabación y edición del CD
Difusión, Centro de Investigación y Publicaciones de Idiomas, S.L.

© 2011 los autores y Difusión, Centro de Investigación y
Publicaciones de Idiomas, S.L.

Reimpresión: junio 2019

ISBN: 978-84-8443-765-9

Depósito Legal: M 11805-2011

Impreso en España por Gómez Aparicio

difusión
Centro de
Investigación y
Publicaciones
de Idiomas, S. L.

C/ Trafalgar, 10, entlo. 1ª
08010 Barcelona
Tel. (+34) 93 268 03 00
Fax (+34) 93 310 33 40
editorial@difusion.com

www.difusion.com

Trimestre maldito

ELVIRA SANCHO
JORDI SURÍS

difusión

PRESENTACIÓN

La serie **Aventura joven** narra las aventuras de un grupo de amigos adolescentes: Mónica, Guillermo, Laura, Sergio y Martín. A través de sus historias, los vas a ir conociendo y, al mismo tiempo, vas a descubrir muchos aspectos del mundo hispano.

A lo largo de esta lectura hay una serie de notas que te van a ayudar a comprender mejor el texto y te van a explicar algunas interesantes cuestiones culturales referentes a Venezuela.

Recuerda que para entender un texto, no es imprescindible conocer el significado de cada una de las palabras: intenta comprender el texto en su totalidad y disfruta al máximo de la lectura.

Esta novela va acompañada de un CD audio (que contiene además archivos mp3) con el que podrás escuchar la historia grabada por una voz venezolana.

En la sección «Después de la lectura», te proponemos una serie de actividades. Te van a permitir comprobar si has entendido el texto y te van a ayudar a incorporar nuevo vocabulario y a reflexionar sobre los temas que preocupan a los jóvenes. Al final de la novela, hemos añadido las soluciones a esas actividades.

¡Disfruta de la lectura!

CAPÍTULO 1

Un grupo de estudiantes sale del Liceo San Ignacio de Loyola en Caracas, Venezuela, y se sienta en un banco de la plaza Altamira. Está atardeciendo y el cielo está rojo.

—Realmente el Ávila es impresionante —comenta Mónica mirando la montaña detrás de la ciudad.

—Sí, un día de estos subimos hasta Pico Oriente y vemos la playa desde allí; es impresionante —comenta Marga, una de las caraqueñas de la clase.

Los chicos hablan y ríen. Guille y sus amigos están entre ellos. Toda la clase de 4º de ESO[1] del Instituto Gaudí de Barcelona ha ido a Caracas a pasar el último trimestre en un programa de intercambio de institutos. Los chicos comentan las clases y hacen planes.

—Podemos ir al Boulevard de Sabana Grande[2].

—Sí, este jueves no tenemos clase por la tarde.

—Esta semana hay una feria en Chacaíto[3].

—¿Una feria? ¿Qué celebran? —pregunta Mónica interesada.

—El 19 de abril se celebra el Día de la Independencia y hay muchas fiestas. Está muy bien, tienen que ir —dice Reinaldo, un chico moreno de ojos azules del Liceo San Ignacio de Loyola, donde están ahora los chicos.

—¿Ah, sí? ¿Y qué hay?

---

1 **ESO:** Enseñanza Secundaria Obligatoria. Son cuatro cursos de los 12 a los 16 años.

2 **boulevard de Sabana Grande:** una de las calles más grandes y famosas de Caracas.

3 **Chacaíto:** barrio de Caracas.

—¿En la feria? ¡De todo! Puestos de comida, tiendas, *shows*... Este año es el de la magia, así que van a venir muchos magos y mentalistas.

—Menta ¿qué? —pregunta Guille.

—Mentalistas, son los que te adivinan el pensamiento —explica Sergio.

—Yo prefiero los magos, los mentalistas son un poco raros, ¿no? —dice Laura.

—¡Qué va...!

—Bueno —dice Reinaldo sonriendo—, no hay que ir a todo. Puedes quedarte solo en el espectáculo que te interese.

—¿Y van también videntes[4] y hechiceros[5]?

—Guille, ¡no tiene nada que ver! No es magia negra. Solo son trucos —explica Mónica.

—Ah, entonces vale, me apunto —dice Guille.

—Y yo.

—Será divertido, vamos todos.

Una mujer joven y delgada pasa por la calle y al ver a los chicos se acerca a ellos sonriendo. Viste vaqueros y camiseta. El pelo negro y liso le llega hasta los hombros. Es la profesora de matemáticas. Es muy popular porque habla mucho con los chicos y siempre está de buen humor.

—¡Hola, chicos!

—¡Hola, Yolanda!

—Entonces, ¿van de fiesta?

—No, ahorita solo vamos al Sambil[6] con ellos —dice Reinaldo señalando a Guille y a sus amigos.

4 **vidente:** persona que pretende adivinar el porvenir o lo que está oculto.

5 **hechicero:** persona que puede ejercer un maleficio sobre alguien por medio de prácticas supersticiosas.

6 **Sambil:** centro comercial de Caracas.

—Hablamos de la feria de Chacaíto —continúa el chico—, es la semana que viene.

—¡*Chévere*[7]! ¿Qué día?

—El jueves, ¿quieres venir? —dice Guille un poco sonrojado

—Pues, no sé, la verdad es que hace mucho que no voy a una feria.

—Venga, será divertido.

Yolanda sonríe.

—Entonces de acuerdo. Se lo diré a otros profesores.

Cuando se va, Mónica y Laura se miran, miran a Guille y sonríen. Desde que han llegado, Guille no para de hablar de Yolanda.

Los chicos del San Ignacio de Loyola y los del Instituto Gaudí se han hecho amigos. Van juntos a todas partes, ahora se dirigen al centro comercial Sambil, al este de la ciudad. Cuando llegan al centro comercial, Laura exclama:

—Eh, es una pasada[8]. ¡Es el más grande que he visto en mi vida!

—Bueno, de hecho es uno de los cinco más grandes del mundo y el más grande de Latinoamérica —ríe Marga, la chica caraqueña. Marga es morena, tiene el pelo largo y negro y una sonrisa encantadora.

—¡Parece una ciudad! —dice Sergio sacando fotos desde las escaleras que se cruzan para subir y bajar los cinco pisos.

—Oye, tú siempre andas con tu cámara, ¿no es cierto?

Sergio no contesta. Está concentrado tomando fotos.

—Sergio y su cámara son inseparables —dice Laura—. Oye, y ¿cuántas tiendas hay?

—¡Uy!, más de quinientas, pero hay de todo, ¿eh? Hay bancos, peluquerías, cafés, feria de comida. ¡Aquí se puede hacer de todo!

—Y esa tienda, ¿qué es?

---

7 *chévere:* término coloquial para expresar que una persona, cosa o situación es excelente o agradable. Se usa en diferentes países del Caribe, Centroamérica y México, y es muy frecuente en Venezuela y algunas regiones de Perú, Colombia y Ecuador.

8 una pasada: expresión coloquial para decir que algo es muy bueno o excesivo.

—Ah, es una tienda de santería⁹, venden remedios¹⁰ para los males espirituales, filtros¹¹ para el amor...

—Qué extraño, ¿al lado de tiendas tan modernas?

—Ah, pero eso acá es normal, la santería está por todas partes, explica Reinaldo—. ¿Quieren entrar?

El grupo se acerca a la tienda. Dentro hay una mujer vestida de blanco y con muchos collares de semillas. Está echando las cartas¹².

Miran un rato los extraños objetos de la tienda. Luego Reinaldo dice:

—¡Vamos!

Los chicos salen. Laura y Marga todavía están mirando varios objetos.

La mujer de blanco las mira y dice:

—Ustedes, mejor cuídense, no sea que les *monten un trabajo*.

Marga mira a la mujer. De repente parece asustada.

Laura la mira:

—¿Qué te pasa? —pregunta.

—Nada, vamos.

Las dos salen de la tienda.

—¿Qué ha querido decir? —pregunta Laura a Marga ya fuera de la tienda.

—Nada, una tontería, no te preocupes.

—Pero, ¿qué es "montar un trabajo"?

---

9 **santería**: religión que tiene su origen en la tribu yoruba de África.

10 **remedio**: cualquier sustancia utilizada para curar.

11 **filtro**: bebida con la que se pretende despertar el amor o producir otros efectos mágicos en la persona que la bebe.

12 **echar las cartas**: hacer con los naipes ciertas combinaciones con las que se pretende adivinar cosas ocultas o futuras.

—Es hacer daño a una persona mediante prácticas de santería o magia negra, por ejemplo, echar mal de ojo[13].

—¿Y tú crees en esas cosas?

—Ni creo ni no creo.

—Lo diría para vendernos algo, ¿no?

—No sé, con las santeras nunca se sabe…

Sus amigos están esperando a las dos chicas. Continúan su paseo.

Después de dar vueltas por el centro y curiosear por las tiendas, los chicos van a comer.

—Tienen que probar los *tequeños* —insiste Reinaldo.

—¿Los *tequeños*? ¿Y eso qué es? —pregunta Guille con curiosidad. A Guille le encanta probar comidas nuevas.

—Es una masa de harina con un trozo de queso dentro. Son buenísimos.

Ya en la mesa los chicos hablan y ríen comparando las costumbres de los dos países.

---

[13] **mal de ojo:** acto supersticioso, en el que supuestamente se produce un mal a una persona a través de la mirada.

CAPÍTULO 2

Los dos días siguientes los chicos trabajan duro para preparar los exámenes. Después de clase, se quedan en la biblioteca del liceo para estudiar.

—¿Cómo lo llevas? —pregunta Sergio a Laura, echando una mirada a su cuaderno de matemáticas.

—Odio las matemáticas. Sencillamente las odio y no entiendo para qué van a servirme. Además, no sé por qué ponen exámenes cuando acabamos de empezar.

—Pero esto no es difícil. Lo dimos ya el trimestre pasado en Barcelona.

—Sí, y a mí me suena a chino[1] tanto aquí como allí.

—Mira, esto es muy fácil, es una multiplicación de ecuaciones...

—Ya. Bueno, déjalo, ya lo hago yo —contesta Laura secamente.

—Si quieres, los hacemos juntas —dice Mónica que está sentada enfrente.

—Vale, contesta Laura.

—Pues entonces —dice Sergio— yo me voy con Martín y Raúl al centro. Nos vemos en la residencia[2] más tarde. ¡Hasta luego!

—¡Hasta luego!

—¿Estáis enfadados? —pregunta Mónica a Laura cuando Sergio se va.

—No, es que no soporto las mates.

---

1 sonar a chino: expresión coloquial que significa que no se sabe nada del tema.
2 residencia: centro que acoge a estudiantes durante el curso escolar.

—Bueno, pero la profe[3] es simpática —dice Mónica.

—Ya pareces Guille —contesta Laura. Las dos se ríen.

Las chicas se ponen a trabajar en sus ejercicios. Otros alumnos entran y salen de la biblioteca.

Raúl se acerca a las chicas:

—Mañana, examen de mates y después fiesta —dice.

—Ah, sí, es verdad. ¡Qué bien!

—Mira, ¿aquel no es el director?

Un hombre de unos 50 años, un poco gordo y que viste traje y corbata, está hablando con dos hombres que llevan un mono[4] manchado de pintura. Es don Alejandro, el director del liceo.

En el edificio han hecho obras y ahora tienen que pintarlo.

—Pueden usar los andamios[5] de la construcción... —les dice don Alejandro.

—¿Cómo va todo, chicos? —don Alejandro se acerca a ellos.

—Eh... bien.

—A partir de mañana tendréis que estudiar en la sala de arriba, vamos a pintar la biblioteca.

—De acuerdo.

—Solo será un par de días.

Guille se une a las chicas en la puerta de salida del liceo.

—Hola, ¿habéis visto a Sergio y a Martín?

—Sí, han ido a la residencia —contesta Mónica—. Nosotras pensábamos ir a ver la Universidad, me han dicho que es preciosa.

---

3 **profe**: coloquialmente, profesor/a.

4 **mono**: prenda de vestir de una sola pieza, de tela fuerte, que consta de cuerpo y pantalón, utilizada en diversos oficios como traje de faena.

5 **andamio**: construcción provisional con la que se hacen pasarelas o plataformas sostenidas por madera o acero para permitir el acceso de los obreros.

—Ah, pues voy con vosotras.

Los chicos salen del liceo y caminan por las calles flanqueadas de palmeras.

—¡Me encanta esta ciudad tan verde! —comenta Mónica.

—Vamos a coger la línea 3 —dice Laura señalando el metro.

—Sí, hay que bajar en Ciudad Universitaria —añade Mónica.

—A mí también me han dicho que la Universidad es una pasada —dice Laura cuando bajan las escaleras del metro.

—¿Es antigua? —pregunta Guille.

—No, qué va, es de los años sesenta.

CAPÍTULO 3

Los chicos han estado de exámenes toda la semana y hoy, jueves, han hecho el último.

—¡Qué bien!, mañana no tenemos clase —dice Martín, contento—. ¡Ni el lunes!

—¡Chévere! —dice Laura, imitando el acento venezolano.

El liceo da dos días de fiesta después de los exámenes.

—El examen no ha sido tan difícil, ¿no?

—¡Qué va! —responde Guille, animado. Creo que me ha ido muy bien. Es que las mates las explican muy bien.

Mónica se ríe. Laura también se ríe.

—Claro, entonces no hay problema —dice, utilizando la expresión favorita de Yolanda.

—¡Qué pesadas sois! —ríe Guille sonrojándose.

—Por cierto, dijo que vendría a la feria, ¿no?

—Sí, nos encontraremos allá con todos.

Al día siguiente, por la tarde, los chicos van a la feria con Reinaldo y Marga. Están contentos y hablan de muchas cosas.

En la feria hay muchas tiendas, *stands* de comida, bares y tiendas de lona que anuncian diversos espectáculos:

- **GRAN MAGO MARFÁN**
- **HIPNOSIS**
- **TRAGAFUEGOS[1] RUYO**
- **PRUEBE SUS HABILIDADES CON LA ESPADA: ¡ESPECTÁCULO DE ESGRIMA[2]!**
- **ALFREDO KRAUS, MENTALISTA**

—¿Se llama Alfredo Kraus? —pregunta Mónica.

—Sí, es muy famoso aquí —dice Marga.

—Es que un cantante de ópera español también se llamaba así.

—¿Ah, sí?

—Es el mentalista que decías, ¿verdad, Reinaldo? —dice Guille.

—Sí, es ese.

—Aquí pone los horarios... —dice Sergio.

—Sí —dice Martín acercándose—, hay sesiones a las cuatro y a las seis. ¿A cuál vamos?

—Ya es tarde para la primera, vamos a la de las seis. Miren allí están Yolanda y... ¡vaya!, el señor Porres —dice Marga señalando a un señor un poco mayor, con una gran sonrisa, pajarita[3] y una barriga enorme.

---

1 tragafuegos: artista de circo que escupe fuego al lanzar contra una llama el líquido inflamable que previamente se ha introducido en la boca.

2 esgrima: deporte de combate en que se enfrentan dos contrincantes, que deben intentar tocarse con un arma blanca.

3 pajarita: tipo de corbata que se anuda en forma de lazo.

—¡Qué divertido! ¡El profe de ciencias en una feria de mentalistas!

—A lo mejor nos cambia los experimentos de clase por la magia —dice Reinaldo.

Mientras los chicos hablan, Sergio le dice a Laura:

—Ponte al lado del cartel, te saco una foto.

—¿Nos han visto? —dice Mónica agitando la mano.

—No, creo que no...

—¡Yolanda! —gritan Martín y Reinaldo— ¡Señor Porres!

—Hola, chicos —dice Yolanda acercándose—. Entonces, ¿hace mucho que han llegado?

—No, qué va, ahora mismo. Hablábamos de ir a ver el espectáculo del ilusionista a la sesión de las seis —dice Laura señalando el cartel—. Nos han dicho que está muy bien...

—Perfecto. Entonces nosotros vamos a dar una vuelta y nos encontramos allá.

El tinglado[4] no es muy grande, pero está completamente lleno. Los chicos se sientan en una fila delante con Yolanda y el profesor de ciencias.

Apagan las luces y el escenario queda iluminado por unas lámparas de aceite. Un foco se enciende sobre Alfredo Kraus, el famoso mentalista, que está sentado en una silla.

Alfredo Kraus es un hombre de unos cincuenta años, pelo negro y barba. Viste pantalón y americana negros. Está en silencio, serio, esperando que el público se calle.

Su ayudante, vestido con traje oscuro, está de pie, detrás de él.

Finalmente, el mentalista se levanta y empieza a hablar:

—Lo que ustedes van a ver esta tarde no es ilusión...

---

4 tinglado: sitio cubierto para resguardar personas u otras cosas.

El público lo escucha con atención.

—... sino verdad. Pero no todas las verdades son fáciles de descubrir. El poder de la mente es el más grande de todos los poderes. Y se lo voy a demostrar.

El hombre se acerca al público:

—Pero voy a necesitar colaboradores...

El hombre señala a Martín:

—Por favor... —dice—, suba al escenario.

Martín mira a sus compañeros. Luego sube y se coloca al lado del mentalista.

—... y usted también—. Alfredo Kraus señala a un hombre muy alto y fuerte.

Cuando están arriba en el escenario, dice:

—Ahora miren a este chico y a este hombre. ¿Quién creen que es más fuerte?

El público ríe. Martín mira al hombre que está a su lado y se rasca la cabeza.

El ayudante del mentalista pone dos sillas, una enfrente de la otra.

El mentalista empieza a hablar en voz baja a Martín, luego le pasa la mano por encima de los ojos y lo empuja suavemente hacia atrás.

Martín parece totalmente dormido y se balancea suavemente. Entonces, el mentalista y su ayudante lo levantan y lo colocan entre las dos sillas, totalmente rígido, con la cabeza en una silla y los pies en la otra.

El público mira con mucha atención lo que pasa.

—Por favor, señor... —dice el mentalista dirigiéndose al hombre alto y fuerte— súbase encima del chico.

—¿Yo? —dice el hombre sorprendido.

—Sí, usted, no tenga miedo. Mi ayudante y yo le ayudamos.

—Pero el chico...

—No se preocupe, no le va a hacer daño.

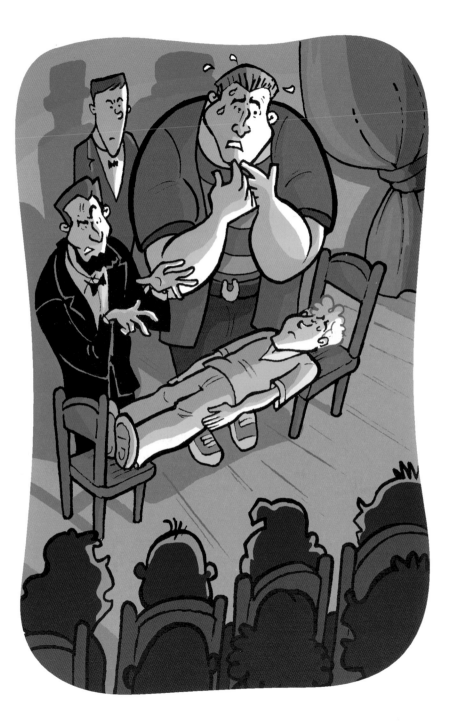

El hombre mira al público. Está dudando.

—Sí, adelante, sin miedo.

El mentalista y su ayudante ayudan a subir al hombre sobre el estómago de Martín.

El hombre se mantiene quieto sobre el chico. El mentalista y su ayudante se apartan.

El público aplaude, entusiasmado.

—Ahora, vamos a ver si son ustedes obedientes.

El siguiente número del mentalista también parece ser interesante. El hombre baja del escenario y se pasea entre el público.

—¿Te ha hecho daño? —le pregunta Guille a Martín en voz baja.

—No, nada.

El mentalista pasea entre el público. Laura está nerviosa.

—No quiero salir —le dice a Mónica.

—No te preocupes, seguramente sacará a sus socios —Mónica no cree en el ilusionismo.

El mentalista se para delante de las chicas y las mira en silencio. Laura coge el brazo de Mónica.

Después, el hombre mira a Yolanda, la profesora de mates:

—Usted —le dice.

—¡Uff, qué descanso! —susurra Laura.

Yolanda parece tranquila. Sube al escenario y se sienta en una silla. El mago la mira fijamente.

—¿Cómo se llama usted, señorita?

—Yolanda.

—Yolanda, bonito nombre. Puede sacar de su bolso las medias[5] que acaba de comprar, ahora no las va a necesitar...

—¡Oh! —exclama Yolanda sorprendida, sacando unas medias de su bolso.

---

5 medias: prenda de punto, seda, nailon, etc., que cubre la pierna hasta la rodilla o más arriba.

El público ríe y aplaude.

—Pero... —dice Yolanda— ¿cómo sabía usted que...?

El mentalista sonríe.

—Yolanda, ¿qué tal sus clases de matemáticas?

—¿Mis clases de...? —pregunta sorprendida Yolanda.

—Por favor, señorita, dígale usted al público de qué trabaja.

—Soy profesora de matemáticas en el Liceo San Ignacio de Loyola.

El público aplaude.

—Y dígame, ¿usted cree que la puedo hipnotizar?

—No..., sí..., bueno, no sé —Yolanda no sabe qué pensar.

—Yo la voy a ayudar. —el hombre saca de su bolsillo una moneda sujeta por un cordel y la empieza a mover delante de los ojos de la mujer.

—Ahora usted está tranquila..., tiene sueño..., se está durmiendo. Está completamente dormida y no despertará hasta que yo diga la palabra "libertad".

Yolanda parece plácidamente dormida.

El hombre pide al público que escriba órdenes en un papel. Luego elige tres papeles y se los lee a Yolanda.

—Yolanda, usted es una niña pequeña, muy pequeña.

Yolanda se levanta de la silla y empieza a correr y a dar saltos por el escenario. Parece realmente una niña pequeña.

El público ríe y aplaude.

—Ahora —el mentalista sigue leyendo otro de los papeles— está usted en una playa del Caribe. Hace mucho calor, mucho calor.

Yolanda empieza a sudar. Tiene calor. Se quita la chaqueta, pero continúa teniendo calor. Empieza a quitarse la blusa, pero el mentalista le dice una palabra al oído y Yolanda se despierta, mirando su chaqueta en el suelo.

—Pero... —dice— ¿qué es esto?

El público ríe y aplaude. Cuando salen de la sala, Martín está entusiasmado.

—¡Ya sé qué voy a ser de mayor! —exclama.

—¿Tablón de andamio? —pregunta sarcástica Mónica.

Martín ríe.

—¡Te ha gustado salir al escenario! —dice Laura.

—¡Es una pasada!

—¿Dónde está Yolanda? —pregunta Reinaldo.

—No lo sé. Estaba aquí.

Los chicos hablan animadamente sobre el espectáculo.

—Estabas rígido, tío[6], y aquel hombre tan grande se subió encima de ti.

—Pues yo no noté nada.

—¿Y lo de las medias de la profe de mates? —dice Marga.

Los chicos ríen, pero Guille no. No le ha gustado ver a su profesora de mates hacer de niña pequeña.

—Vamos a comer —proponen Reinaldo y Marga.

—Pues yo creo que son trucos —insiste Mónica mientras están sentados en una terraza comiendo.

Sergio y Laura se dan la mano.

—Si me saca a mí, me muero —le dice la chica a Sergio—. Estas cosas me dan un yuyu[7].

---

6 tío: término coloquial para designar a un amigo o compañero.

7 dar yuyu: término coloquial que designa miedo a algo indeterminado. Muchas veces se relaciona con la muerte o algo paranormal.

CAPÍTULO 4

El martes los chicos vuelven al liceo después de un largo fin de semana y un día de descanso.

Están en la puerta de entrada hablando en grupos.

—¿Os gustó la feria? —pregunta Raúl.

—A mí me encantó —dice Mónica—. Había muchas cosas interesantes y tiendas.

—Y comimos empanadas de *caraotas*[1] en una terraza.

—A mí lo que más me gustó fue el espectáculo del mentalista —dice Martín.

—¡Hola, chicos! —Marga y Reinaldo se acercan a los chicos.

—Estamos hablando de la feria —dice Sergio.

—Estuvo bien —dice Reinaldo.

—Yo voy para dentro —dice la chica

—Para mí lo mejor fue ver a Yolanda haciendo de niña pequeña —dice Laura imitando a la profesora.

—¡Shhhhh! —dice Mónica señalando a un lado.

Yolanda está entrando en la escuela en este momento.

—Pues a mí lo que más me gustó fueron las empanadas —dice Guille, que está un poco enfadado...

Todos ríen.

—En dos semanas hay otra feria que te encantará, es de comidas de los países hispanos.

---

1 *caraotas*: en el español de Venezuela, judías.

De repente se oye un gran ruido dentro del liceo. Todos callan.

—Ha sido dentro, ¿no? —dice finalmente Sergio.

Juan, el hombre de mantenimiento, y otros dos trabajadores de la obra corren por el patio.

—¿Qué ha pasado? —pregunta Reinaldo.

—Un andamio —responde Juan—, se ha caído un andamio.

—¿Qué pasa?

—Dice Juan que ha caído un andamio.

—No pueden entrar en el edificio.

Todos los chicos entran en el patio e intentan mirar por las ventanas para ver qué ha pasado.

Un coche rojo aparca ruidosamente delante del liceo.

El director sale apresuradamente del coche y entra en el colegio.

—Mirad, sale alguien —dice Martín señalando la puerta.

Un hombre sale llevando a una chica apoyada en el hombro.

—¡Es Marga!

—Marga, ¿estás bien?

Marga camina despacio, ayudada por el hombre.

La chica está pálida.

—Chicos, chicos, dejen paso, todo está bien —dice el hombre.

—¡Marga! —Reinaldo se acera y la coge por el brazo— ¿Estás bien?

—Sí, sí, no es nada.

—Bueno, si se queda aquí, voy a ayudar dentro —dice el hombre.

—De acuerdo, Juan —acepta Reinaldo

—Pero ¿qué ha pasado? —pregunta Mónica.

—Parece que se ha caído un andamio.

Reinaldo mira a Marga interrogativamente.

—El andamio del comedor se cayó. Está todo destrozado.

—Pero ¿tú qué hacías dentro de la escuela tan pronto?

—Buscaba mi móvil, ayer pasé por aquí y debí dejármelo. No lo encuentro.

—¿Estás mejor?

—Sí, ¡qué susto[2]!, creía que me mataba.

En aquel momento salen Yolanda y el profesor de ciencias.

—¿Estás bien? —pregunta la profesora.

—Sí, estoy bien.

Después sale el director del liceo.

—Todo está bien, chicos —dice—. Solo fue un susto, un problema con el andamio, pero ya está solucionado y no volverá a ocurrir.

El director mira hacia la calle. Parece enfadado.

—Y tú, ¿qué haces aquí? —grita a una mujer vestida de blanco que está en la acera de enfrente, mirándolos—. ¡Vete!

—Estas santeras son como cuervos[3] —dice después en voz baja.

—¿Qué le pasa ahora? —pregunta Sergio.

—Estará nervioso por el accidente —dice Reinaldo.

—Pero ¿por qué le grita a esa pobre mujer? —pregunta Mónica.

—Las santeras no le gustan a todo el mundo.

—Yo creo que está enfadado con el mundo —dice Guille de mal humor.

El director ahora está gritando a Yolanda.

—Ese hombre es raro, un día es muy simpático y otro está insoportable.

---

2 **susto**: impresión repentina causada por el miedo.
3 **cuervo**: pájaro que tradicionalmente se ve como portador de mala suerte.

CAPÍTULO 5

Al día siguiente los obreros ya han arreglado el andamio, pero el director ha decidido cerrar la parte baja de la escuela por seguridad.

Laura, Martín y Guille suben juntos las escaleras. Mónica y Sergio ya están en el aula.

—Chicos, entren en el aula, que ya empiezan las clases —dice la profesora de inglés al pasar por su lado—. Vayan a buscar los libros.

—¿Has hecho los deberes? —pregunta Martín a Laura.

—¿Qué deberes?

—Los ejercicios de inglés. Teníamos un montón. A mí me faltan los últimos.

—Ah sí, los tengo en la taquilla[1]. Ahora te los paso.

—Yo entro ya —dice Guille.

Laura y Martín van a sus taquillas.

Laura intenta abrir la suya pero no puede.

¿Qué pasa? —pregunta. No se abre.

—A ver —dice Martín—, déjame probar.

—¿Habéis oído? —Guille llega corriendo.

—¿Qué pasa?

---

1 taquilla: mueble vertical con casillas o cajones donde los estudiantes guardan sus libros y pertenencias.

—A Sergio le han robado la cámara.

—¿Qué? — exclaman Martín y Laura al mismo tiempo.

—Está hecho polvo[2].

—No me extraña.

—Parece que han robado otras cosas.

Martín instintivamente comprueba que tiene su cartera y su móvil.

—¡Pero lo fuerte es que ayer pasó lo mismo en la clase de tercero!

Algunos chicos se acercan.

—¿Qué pasa? —preguntan.

—A Sergio le han robado la cámara.

—... y han roto la cerradura de mi taquilla y no la puedo abrir.

—¿Pero esto es normal aquí? —pregunta Laura, enfadada.

—¡Qué va! Aquí nunca roban nada.

Los chicos hablan con la profesora de inglés del robo de la cámara. Miss Tracy está preocupada y se olvida de pedirles los ejercicios.

Después tienen clase de matemáticas pero la profesora Yolanda no quiere hablar más sobre ello.

—Bueno, bueno, ya está bien de hablar del tema. Abran el libro en la pagina 44 y hagan los ejercicios 3, 4, 5, 6 y 7. Disculpen, yo, eh…, tengo que salir un momento, ya vuelvo.

—¿Qué le pasa a la profesora? —pregunta Sergio—. Nos pone a hacer ejercicios y se va de clase.

—Es raro —dice Marga.

Antes de acabar la clase, el director entra en el aula.

—Con su permiso, Yolanda —dice.

Todos lo miran con interés. El director empieza a hablar.

—Chicos, en la escuela últimamente están desapareciendo cosas.

—A mi hermano ayer le robaron el mp3 —dice una chica.

---

2 **estar hecho polvo:** coloquialmente, estar destrozado física o anímicamente.

—Y a mí me han robado la cámara de fotos —dice Sergio, muy enfadado.

Los chicos lo interrumpen explicando cada uno una historia.

El director levanta la mano.

—¡Silencio, por favor! —pide.

Luego empieza a hablar:

—Sabemos que el ladrón...

—O la ladrona —dice Raúl para hacer gracia, pero nadie ríe.

—... es alguien de la misma escuela. Comprobamos que nadie externo entró o salió del liceo. Ahora estoy pasando por todas las clases...

Los chicos escuchan con atención.

—... y le hablo al autor de los robos. Y le digo que puede dejar los objetos robados en la dirección. El problema aún tiene solución.

Los chicos están todos intrigados. ¿Quién es el ladrón?

—¡Ah! —dice el director antes de salir de la clase— Antes de que se vayan, vamos a revisar todos los *morrales*[3].

—Piensa que somos ladrones... —dice Raúl de mal humor.

—Bueno, si así encuentran mi cámara... —dice Sergio.

Las clases siguen, pero el ambiente en el liceo es extraño. Todo el mundo habla en corrillos[4]. Se miran unos a otros con desconfianza.

Al mediodía, Julián, el profesor de literatura, y el profesor de ciencias miran las mochilas de los chicos, pero no encuentran nada.

—En las taquillas tampoco han encontrado nada —les dice Reinaldo a Sergio y Martín.

---

3 *morral*: en el español de Venezuela, mochila.
4 corrillo: corro donde se juntan algunas personas a discutir y hablar, separados del resto de la gente.

—Parece que nos montaron *un trabajo* —dice Marga acercándose al grupo. Guille y Mónica también se acercan.

—¿Qué quieres decir? —pregunta Guille, sin entender.
—No, nada, nada, pero parece que nos ha venido la mala suerte de repente.
—Eso es una tontería —dice Guille.
—Pues yo no lo creo, la suerte y el mal de ojo vienen por algo.
—¿Crees realmente que alguien nos ha podido echar mal de ojo? —pregunta Mónica.
—Bueno, ¿por qué no?
—Pero, esto no es una enfermedad, ni una desgracia, es un robo...
—Pero lo del andamio y... ¿Por qué ahora hay un ladrón de repente? La cosa es que estamos fastidiados, ¿no?
Laura se une al grupo.
—Chicos, ¿de qué habláis?

Mónica se lleva a Laura a un rincón:
—¿Sabes? —dice— Reinaldo ha organizado una sesión con un santero.
—¿Qué? ¿Y qué van a hacer?
—Parece que conoce a alguien, un santero de confianza.
—Pero ¿qué va a hacer un santero? ¿Nos va a decir quién es el ladrón?
—No, bueno, no sé, pero Marga y Reinaldo dicen que lo de los robos y el andamio puede ser solo una señal, un aviso.
—¡Ay, tía!, me estás asustando.
Raúl se acerca a las chicas:
—Bueno, es fácil saber por qué están robando: porque hay un ladrón en la escuela que necesita un poco de pasta[5].
—Sí, pero ¿por qué ahora? Nunca nadie ha robado en esta escuela.

---

5 pasta: coloquialmente, dinero.

—Pues porque le apetecerá tener un móvil, o una cámara de fotos, o algo de dinero extra...

Mónica se acerca a Sergio, Martín y Guille. Les explica la idea de Reinaldo de visitar a un santero al mediodía, a la hora de comer.

—Bueno —dice Mónica—, Reinaldo pregunta si queremos ir.

—¿A una sesión con un santero? ¡Ni muerta[6]! —exclama Laura.

—¿Por qué no? —dice Martín—. Puede ser interesante, no hemos visto ninguna.

Poco a poco los chicos se van animando.

—Sergio —pregunta Laura—, ¿tú irás?

—Mm, No sé. Creo que no. No me gustan esas cosas. Además no podré ni hacer fotos —añade con cara de tristeza.

Martín le pasa el brazo por el hombro sonriendo.

—Tío, los espíritus no se ven. ¿Cómo ibas a fotografiarlos?

—Bueno ¿qué? ¿Vamos con ellos o no? —pregunta Mónica impaciente.

—Yo voy a la residencia, tengo trabajo que hacer —dice Guille serio.

—Tienes miedo —dice Raúl provocador.

—¡Tengo TRABAJO! —contesta Guille de mal humor.

—Vale, vale tío, calma.

—Aquí últimamente todo el mundo está raro —dice Sergio. Igual sí que nos han echado mal de ojo.

—Pues yo no creo en esas cosas, pero me apetece ver qué es —dice Mónica—. Yo voy.

—Yo también —dice Martín, contento.

—Yo paso —dice Sergio—. Voy a dar una vuelta.

—Raúl, ¿tú vienes?

—No sé; sí, vale.

—Yo me voy con Sergio y Guille —dice Laura. Los espíritus y toda esa historia no me van[7]...

---

6 ni muerto: expresión coloquial que indica: de ninguna manera, bajo ningún concepto.
7 no me va: expresión coloquial para decir: no me interesa.

En la habitación de la residencia, Guille mira concentrado la pantalla del ordenador.

—No lo entiendo —murmura.

Vuelve a teclear: Alfredo Kraus.

Y sale otra vez, vuelve al *facebook*. Teclea esta vez el nombre del Liceo San Ignacio de Loyola, lista de profesorado, currículum, de pronto algo le llama la atención.

Laura llama desde la puerta de la habitación.

—¿Puedo entrar?

—Eh, sí, sí.

—¿Estás trabajando? —pregunta Laura sorprendida.

Guille se gira y mira a Laura.

—Bueno, cotilleando[8] un poco.

—¿Sobre la santería?

—¡Ah!, pues no. Sobre el liceo.

—Me pregunto qué estarán haciendo los chicos con el santero...

8 cotillear: curiosear en asuntos ajenos.

CAPÍTULO 6

—¿Qué avenida es esa? —pregunta Mónica mirando con admiración la amplia avenida ajardinada del centro de la ciudad.

—La avenida Baralt.

—Es enorme, ¿y todas esas sombrillas?

—Son *buhoneros*[1] —explica Marga.

—¡Ah! ¿Como los mercados españoles?

—Bueno, no lo sé.

—Vamos por aquí —dice Reinaldo.

Entran en una callejuela llena de tiendecitas, guiados por Reinaldo.

Reinaldo se para delante de una tienda llena de flores, pasteles y figuritas pequeñas.

—Esta es la tienda de santería —dice.

Los chicos entran en la tienda.

Martín lee en voz alta:

SE DECORAN PALOS DE MUERTO[2] COMO USTED NECESITE. SE REALIZAN TORTAS DECORADAS DE ORISHAS

1 *buhonero*: en el español de Venezuela, vendedor ambulante instalado al aire libre.
2 palo de muerto: bastón utilizado en la santería para determinados rituales.

—¿Qué son "orishas"? —pregunta Mónica— ¿Y los palos de muerto?

Un hombre de unos cuarenta años y rostro serio, rodeado de estatuillas, botes y bisutería, le contesta desde un rincón de la tienda.

—Los orishas son dioses que gobiernan diversos aspectos del mundo. Además, vigilan que cada mortal cumpla el destino que tiene marcado desde su nacimiento.

—¡Ah! —dice Raúl sin entender nada.

—¿Y esto? —pregunta Martín cogiendo una estatuilla que lleva en sus pantalones armas de fuego y cuchillos.

—¡Ah! —dice el hombre hablando lentamente—, representan a la Corte Malandra: espíritus que buscan el perdón de sus pecados y advierten a los jóvenes de que deben evitar el crimen. También ayudan a los presos a salir de la cárcel y curan la adicción a las drogas.

—Ese que estás mirando —explica Reinaldo— es el Niño Ismael, un atracador de bancos. Dicen que mató a muchas personas en la década de los setenta, antes de morir en un enfrentamiento con la policía.

Martín mira con atención la figurilla, que lleva una gorra de béisbol de medio lado, fuma un cigarro y lleva una pistola en sus pantalones vaqueros.

Poco después, Sergio entra en la habitación de Guille. Mira a Laura y a Guille y dice:

—¡Por la noche!

Laura y Guille lo miran sin entender.

—¿Por la noche? —pregunta el chico.

—Sí.

—Por la noche ¿qué? —pregunta Laura.

—Sí, así vemos quién es. Y yo recupero mi cámara.

—Pero Sergio, ¿qué te pasa? ¿Quieres hablar con un poco de sentido?

—Es pura lógica. Hay que quedarse por la noche en el liceo.

—¿Y para qué?

—Si ya han registrado todas las taquillas y mochilas y no han encontrado nada.

—Eso quiere decir que lo que roban lo sacan de noche —deduce Guille girándose en su silla.

—Exacto.

—O todavía está allí —dice Laura.

—Pero... —dice Guille— a lo mejor ya lo han sacado. Ayer por la noche, por ejemplo.

—No creo, había claustro de profesores. Ya sabes, se reúnen, cenan en el liceo y salen tarde. Era demasiado arriesgado.

—¿Entonces?

—Entonces, esta noche nos quedamos dentro.

Guille se queda pensativo.

—¿Qué piensas? —pregunta Sergio.

—Que si nos pillan³, igual se piensan que somos nosotros.

—Y nos devuelven a España en el primer avión...

—¡Ay! —exclama Guille— ¡A mi madre le da un infarto⁴!

—Bueno —dice Sergio impaciente—, yo voy, ¿vosotros venís o no?

—Vale.

Luego se lo decimos a los demás.

—La Corte Malandra eran personas pobres de las barriadas de Caracas, en los años setenta —explica Marga.

—Cometían delitos pero respetaban algunos «códigos de honor», —señala el hombre—. Nunca actuaban en su barrio. Solo robaban en las zonas ricas. No denunciaban a otras personas ni cometían delitos sexuales. Eso estaba totalmente prohibido.

—Hicieron daño, es verdad, pero por causas nobles —dice Marga.

---

3 **pillar**: coloquialmente, coger, atrapar, descubrir.
4 **infarto**: ataque al corazón.

—Más o menos nobles —aclara Reinaldo.

Mónica y sus amigos escuchan con atención.

—Al lado de la tumba de Ismael están las tumbas de otros miembros de la Corte.

—Pero la más famosa es la de Ismael.

El hombre se levanta de su silla.

—¿Quiere una? —le pregunta a Martín ofreciéndole una estatuilla.

—Eh..., no, yo solo...

Reinaldo le interrumpe.

—Nosotros queríamos ver a Juan Tomás. Nos espera. Dígale por favor que está Reinaldo.

El hombre asiente en silencio y sale de la habitación.

A los pocos minutos vuelve a entrar y conduce a los chicos al interior. Allí, en una habitación pequeña y solo iluminada por algunas velas, está él, alto, delgado, vestido con una túnica blanca y con muchos collares en el cuello.

Después de saludarse, Reinaldo le explica lo que pasa en el liceo. El hombre asiente sin hablar. Después se gira, enciende algunas velas, echa un líquido amarillo alrededor de ellas y espera. Al poco tiempo una de las velas se apaga. Vuelve a encenderla mientras recita unas palabras incomprensibles. Después se gira hacia los chicos y los señala con un dedo.

—¿Qué hace? —pregunta Mónica en voz baja a Reinaldo.

—Está preguntando.

—Ya —contesta Mónica con cara de «no me creo nada».

Mónica mira a Martín y a Raúl, pero están muy serios. Reinaldo y Marga están más tranquilos.

La vela vuelve a apagarse y él dice:

—Eleguá no está contento.

—¿Quién es Eleguá? —pregunta Mónica.

El hombre no contesta. Reinaldo le explica en voz baja:

—Es el mensajero entre los humanos y los otros orishas. Es el guardián de las casas.

—Alguien lo ofendió —continúa el hombre—, alguien de fuera.

—No somos nosotros, ¿verdad? —le pregunta Mónica, que cada vez está más interesada.

—No. No son ustedes —dice el hombre—. A Eleguá le gustan los chicos que han venido de fuera. Pero alguien lo ofendió.

—¿Y qué quiere? —pregunta Reinaldo.

—A Eleguá le gustan los dulces y el ron.

—¿Dulces y ron?

—Sí, dos botellas de ron y dulces. Tienen que ponerlos en las puertas y ventanas.

El hombre se inclina delante del altar, toca el brazo a Reinaldo y se retira. El otro hombre aparece y los acompaña a la puerta.

—¿Ya está? —pregunta Raúl. Parece decepcionado.

Martín compra unos dulces al hombre y los chicos se despiden. Al salir a la calle, la luz del sol parece extraña después de tanta oscuridad.

Los chicos están confusos.

CAPÍTULO 7

Por la tarde, los chicos siguen con sus clases.

—¿Qué tal la visita al santero? —pregunta Laura a Mónica.

—No sé, muy raro todo.

Sergio se acerca a sus amigos.

—Tenemos que hablar con vosotros —les dice—. Después de clase.

Toca clase de literatura. Es la hora de empezar la clase pero Julián, el profesor, no llega.

—¿No hay clase hoy o qué? —pregunta Raúl cuando ya han pasado diez minutos.

—Claro que hay —contesta Guille.

—¿Y el profe?

De pronto se abre la puerta y entra Julián lentamente. Tiene una expresión extraña y está completamente blanco.

Los chicos callan al verlo.

—¿Qué pasa?

—Mi portátil[1] desapareció.

—¿El portátil?

Los chicos intentan consolarlo.

—Pero ¿no tenía un seguro?

—No lo entienden —el profesor parece enfermo—. El libro. Mi libro está en el portátil.

---

1 portátil: abreviatura para ordenador portátil.

—¿Y no tiene una copia? —pregunta Sergio con incredulidad.

—No, no hice ninguna copia. Es que... —Julián sabe que siempre hay que hacer una copia de los documentos importantes. «¿Por qué no la hice?», se pregunta poniendo la cabeza entre las manos.

Sus alumnos lo miran en silencio. Saben que Julián está acabando una biografía de Cortázar y que se la van a publicar.

—Debo entregarla a la editorial dentro de dos semanas.

—¿Cree que se lo han robado?

—No sé qué pensar —el profesor parece confuso—. Estaba esta mañana en el despacho. Esto no es normal. Esto no puede continuar así.

A la hora del descanso, en el bar del liceo los chicos están tomando un refresco.

—¿Qué nos querías decir? —le pregunta Mónica a Sergio.

En otra mesa, hay algunos profesores hablando en voz baja. Parecen preocupados.

En un momento, los chicos oyen la palabra "policía".

—Creo que van a avisar a la policía —dice Martín.

—¿Tú crees que cerrarán el liceo? —pregunta Guille, preocupado.

—¡Hombre[2]!, no creo.

—Bueno —dice Sergio—, tengo que deciros algo. Esta noche me voy a quedar en el liceo. Y Laura y Guille también.

Sus amigos lo miran sorprendidos.

—Si los objetos robados no han salido del liceo —continúa—, todavía tienen que estar aquí, ¿no?

---

2 ¡hombre!: expresión coloquial que indica sorpresa, alegría, impaciencia, etc.

—¿Y si nos descubren? —pregunta Mónica.

—No nos van a descubrir.

—Nos podemos esconder en los lavabos...

—Sí, ¿y después?

En ese momento un cocinero sale de detrás de la barra y se acerca a los profesores. Está nervioso.

El profesor de ciencias se levanta y sigue al cocinero.

Una camarera pasa por el lado de los chicos.

—¿Qué pasa? —pregunta Laura.

—Alguien ha envenenado la sopa.

—¿Alguien ha qué?

—Ha envenenado la sopa, le ha tirado...

—Pero… ¿y cómo se han dado cuenta?

—¡Laura! —uno de los profesores llama a la chica. La chica se acerca a él.

Mónica coge del brazo a Sergio:

Escucha, el santero nos ha dicho que un santo está descontento.

—Yo no creo en la santería —dice Sergio— y creía que tú tampoco. Lo que quiero es encontrar mi cámara. Es muy buena, es un regalo de...

—Yo no sé si creo en la santería —explica Mónica—, pero ¿y si es verdad? No podemos rechazar todo lo que no entendemos. No nos cuesta nada hacer lo que nos han pedido…

—Yo estoy de acuerdo —dice Martín—. Después de cerrar el liceo nos quedamos. Yo tengo los dulces.

—Yo voy a comprar dos botellas de ron.

—Y luego investigamos, a ver si encontramos algo —dice Laura. La chica le da la mano a Sergio. Este sonríe confuso.

CAPÍTULO 8

Las luces de la escuela se van apagando. Poco a poco la escuela queda en silencio. Los pasos de las botas de Juan, el conserje, resuenan por los pasillos.

—¡Vamos a cerrar, vamos a cerrar! —grita.

Los chicos oyen a Juan que se acerca. Están en uno de los lavabos de las chicas. Llevan linternas. También llevan el ron y los dulces en una bolsa. Juan abre la puerta y mira a su alrededor. No ve a nadie.

—¿Hay alguien aquí? Vamos a cerrar.

Después vuelve al pasillo y se aleja.

Unos minutos después, la escuela está en absoluto silencio. Se oye el motor del coche de Juan que se aleja.

—¡Vamos! —dice Sergio.

—¿Seguro que no hay alarma? —pregunta Guille de repente.

—No, no creo.

—¿Y vigilante nocturno?

—No, tranquila, aquí no hay *guachimán*[1].

—Bueno, primero vamos a poner el ron y los dulces en las puertas y ventanas —dice Mónica.

—¡Qué raro está el liceo tan oscuro!

Los chicos sacan sus linternas.

1 *guachimán*: del inglés «wach man», vigilante en el español de Venezuela.

Pasan por la biblioteca, el comedor y el gimnasio, pero no ven nada extraño. Mónica y Martín van poniendo dulces en las puertas y ventanas.

—Vamos arriba, a ver —dice Sergio, impaciente.

Sus pasos suenan levemente cuando suben las escaleras.

—No me gusta este sitio de noche —dice Laura.

—Sí, da un poco de miedo.

—¿Qué es eso? —dice de repente Guille, asustado.

—Nada, es una sombra.

—Aquí de noche parece que hay espíritus de verdad.

Cuando llegan al primer piso se paran.

—Es mejor dividirse en dos grupos —dice Sergio—; si no, no acabaremos nunca.

—Vale, yo subo al piso de arriba —dice Martín.

—Yo voy contigo —dice Mónica.

—Yo también —dice Guille.

Martín y sus compañeros suben la escalera hasta el segundo piso, donde están las aulas y el despacho del director. Empiezan a andar lentamente.

—Empecemos por esta... —dice Mónica.

Los chicos van revisando las aulas.

—Aquí no hay nada.

—Aquí tampoco...

—¡Silencio! —dice de repente Mónica.

Los chicos se quedan en silencio. Al final del pasillo se ve algo que se mueve. Alguien avanza con una linterna en la mano. Luego se oyen voces.

—Vamos, rápido, ¡aquí!

—Los chicos entran en un despacho.

—Este es el despacho del director, ¿no? —dice Guille.

Por debajo de la puerta se ve la luz de la linterna que se acerca. Dos personas hablan:

—Entra en el despacho —dice la voz de un hombre.

—Entonces —se oye la voz de una mujer—, dime qué más tengo que hacer.

Guille frunce el ceño.

La puerta del despacho se abre. La luz de la linterna enfoca a los chicos.

—Aquí hay unos chicos —dice la mujer. Su voz es fría y monótona—. Entonces, ¿qué hacemos?

—¿Quiénes son ustedes? —el hombre está enfadado.

Los chicos miran con horror. No pueden creer lo que ven.

Mientras tanto, Laura y Sergio examinan el piso de abajo. Miran en la oficina, las aulas, la sala de profesores.

—¿Sabes? —dice Sergio de repente— El ladrón podría ser alguien del personal o un profesor.

—Sí, claro. Nadie sospecha de ellos.

Sergio y Laura abren los armarios y los cajones. Uno de los armarios está cerrado con llave. Las taquillas de los profesores también.

—Si ha sido un profesor, no lo podremos descubrir —dice Sergio desanimado—. Además, el problema con los andamios quizás no ha sido un accidente.

—¿Y el veneno en la comida? —recuerda Laura.

—Vamos a ver si Mónica y los otros han descubierto algo.

Laura y Sergio suben por la escalera.

Cuando llegan al segundo piso miran por el pasillo. No se ve ninguna luz de linterna ni se oye ninguna voz.

—Vamos a llamarlos por el móvil.

De repente una sombra aparece detrás de ellos y una mano les tapa la boca a los dos.

Arriba en el despacho del director, el hombre dice con voz apagada:

—Yolanda, ata a los chicos.

Los chicos están asustados. Yolanda ata a los chicos con una cuerda. Mientras tanto, el hombre los amenaza con una pistola.

Guille mira a Yolanda mientras esta le ata las manos. Tiene miedo y está destrozado. No se lo puede creer. Él admira mucho a su profesora de mates. ¿Cómo podía estar tan equivocado?

De repente el hombre se pone tenso.

Se oye una voz en el pasillo.

«¿Qué es eso?», se pregunta Mónica. «Parece una voz. ¿Está cantando? ¡Parece un canto de santería!».

—¡Vigila a los chicos! —le ordena el hombre a Yolanda.

Luego sale del despacho y habla con alguien.

—¿Qué hace aquí? —pregunta sorprendido el hombre—. No la esperaba.

A los chicos les parece ver una figura blanca a través de la puerta de cristal.

—Tengo las cosas que he robado. Son para usted, para ofrendas[2] —dice el hombre.

—No queremos cosas robadas. ¡Queremos acabar con el liceo!

El hombre ríe con una risa desagradable.

—No tema —dice—. Esta noche es el plato fuerte[3], el gran acto: la profesora de matemáticas del liceo, querida por todo el mundo, se va a suicidar en el despacho del director. Solo tengo que redactar la carta de despedida.

Mientras, Sergio y Laura forcejean con el hombre que les tapa la boca.

¡Shh...! ¡Silencio! —ordena una voz de hombre .—Soy Alejandro, el director. Tranquilos.

—¡Don Alejandro!

—¿Se puede saber qué hacen aquí? —pregunta este enfadado.

2 ofrenda: donación que se dedica a Dios o a los santos, para implorar su auxilio o algo que se desea.

3 plato fuerte: expresión que significa «parte importante» o «principal».

En el despacho, Yolanda vigila a los chicos. El hombre habla con la mujer de blanco. Don Alejandro, Sergio y Laura oyen voces y, de vez en cuando, un canto en el pasillo.

Al mismo tiempo, dos sombras saltan por la verja de la calle del liceo y entran en el patio.

—Por aquí —dice una voz—. Antes de salir del liceo he dejado una ventana abierta. Por allí podremos entrar.

Los dos se dirigen hacia el lugar.

—Marga: ¿les preguntaste a Mónica y Martín si querían venir?

—No, Reinaldo. Ellos no creen en la santería —contesta—. Por favor, sujétame las botellas de ron.

Guille no entiende nada de lo que está pasando. ¿Cómo puede Yolanda hacer una cosa así? ¿Y quién es ese hombre? Su voz le resulta familiar. ¿Dónde la ha escuchado antes?

El murmullo de la voz del hombre se oye detrás de la puerta. Guille está pensando. De repente lo entiende todo. ¡Ya sabe quién es el hombre! Y también sabe qué le pasa a Yolanda. Tiene una idea.

Mira a Yolanda y la llama:

¡Yolanda!, ¡Yolanda!

—Calla, Guille, por favor. No compliques más las cosas.

—Yolanda: ¡Libertad, libertad!

—¡Guille!

Yolanda mira a los chicos. Parece sorprendida.

—Pero... —dice— entonces, ¿qué hacen ustedes aquí? ¿Dónde estamos?

—Por favor, Yolanda. No hagas ruido. Desátanos.

Yolanda parece de repente muy cansada. Se acerca a los chicos.

—Sí, estamos bien, pero no subáis al despacho —Guille habla en voz baja por el móvil—, es peligroso.

—Tranquilo, Guille. Estamos con don Alejandro. Hemos avisado a la policía.

—Pero, ¿qué pasa? —el hombre ha oído el sonido de un teléfono móvil—. ¿Quién está ahí?

Sergio, Laura y don Alejandro se dan cuenta de que el hombre ha dejado de hablar.
—Vamos, rápido —dice don Alejandro.
Los pasos del hombre se acercan. De nuevo se oye la voz de alguien cantando.

Reinaldo y Marga han entrado por la ventana abierta. Empiezan a poner los dulces y las botellas de ron en las puertas y ventanas.
—¡Mira! —dice Reinaldo— ¡Alguien puso dulces en las ventanas!
—¡Y también una botella de ron!
—¡Seguro que son Mónica y Martín!
—Pero... si ellos no creen en la santería.
—No sé, pero me alegro. Seguro que ahora se acaban los problemas en el liceo.
—Vamos a buscarlos.

El hombre abre la puerta. Los chicos no ven a nadie fuera. El hombre entra en el despacho. Yolanda está vigilando a los chicos, que están atados.
El hombre está enfadado. Está seguro que ha oído el sonido de un teléfono móvil. Está nervioso y quiere acabar cuanto antes.
—Yolanda, querida. Toma un papel y un bolígrafo y escribe lo que te voy a decir.
«Señor juez[4]:»
—¿Y quiénes son esos? —pregunta don Alejandro, que cada vez está más sorprendido.
Don Alejandro, Laura y Sergio se han escondido en los lavabos del primer piso cuando han oído los pasos del hombre que se acercaba. Después, han salido al pasillo.

4 juez: persona que tiene autoridad legal para juzgar y sentenciar.

Dos chicos avanzan en la oscuridad.

—No están aquí —dice uno de ellos.

—Tal vez están en el piso de arriba.

—¡Son Marga y Reinaldo! —exclama Laura— ¡No me lo puedo creer!

—¡Lo que faltaba! —exclama el director—. ¡Esto parece una concentración nocturna de alumnos!

—¡Reinaldo, Marga! —les llama Sergio— ¡No hagáis ruido!

—Quédense aquí —dice don Alejandro—. Voy a subir a ver qué pasa.

El director empieza a subir la escalera, en silencio.

—Yo también subo —dice Sergio cuando el director no le puede oír—, quiero saber qué está pasando.

—Nosotros también subimos.

Tienen la sensación de que alguien los observa desde lejos.

—«... por ello he decidido secuestrar a estos alumnos, matarlos y suicidarme yo después. Toda la culpa de mi muerte es del Liceo San Ignacio de Loyola.»

—Muy bien. Toma la pistola. Dispara a los chicos, ¿entiendes? Después apúntate a la cabeza. Es un momento, no te dolerá.

Le da la pistola. Yolanda la coge. Entonces Yolanda apunta al hombre.

—Kraus —dice—, eres un malvado. Si te mueves, te mato.

El hombre la mira sorprendido. Los chicos se han levantado y se acercan a él.

—¡El mentalista! —exclaman al mismo tiempo Mónica y Martín—. Guille, ¿cómo sabías que...?

El hombre mira a su alrededor. Abre la puerta del despacho y sale corriendo.

—¡Quieto, Kraus! No te muevas —oye una voz a su espalda. Es don Alejandro. Pero Kraus corre y corre y desaparece por la escalera.

El director del liceo corre detrás de él.

Mientras, se oye una canción lejana, pero nadie sabe de dónde viene.

Laura y Sergio entran en el despacho del director.

Yolanda ha encendido la luz. Los chicos parpadean.

—¡Mónica!

—¡Laura, Sergio!

—¡Martín, Guille!

—¡Marga, Reinaldo!... ¿Vosotros aquí?

—Vinimos a poner el ron y los dulces.

—¿Qué ha pasado?

—Profesora Yolanda, ¿qué hace usted aquí? —pregunta Laura sorprendida.

—Nada, chicos. Todo terminó.

—¿Visteis?

—¿El qué?

—La santería; todo terminó.

Guille, Martín y Mónica explican lo que ha pasado. Yolanda está totalmente destrozada:

—O sea, entonces, yo fui la ladrona. ¡No puedo creerlo!

—Usted no —la defiende Guille—. Ha sido el mentalista.

—Usted estaba hipnotizada, profe.

—Pero, entonces, yo puse el veneno en la sopa. ¡Pero eso es horrible!

—¿Y, por cierto, dónde está mi cámara? —pregunta Sergio.

De repente se oyen gritos en el patio y gente que corre. Después se oyen dos disparos. Luego, nada.

Los chicos y la profesora se quedan en silencio un rato. Pasa algo extraño.

—Ya no se oye —dice finalmente Laura.

—¿El qué?

—Sí, es verdad. Ya no se oye.

—Es cierto, la canción esa.

CAPÍTULO 9

Poco después, el director llega al despacho acompañado de la policía.

—Bueno, tenemos que hablar —dice.

—Alejandro, yo... —empieza a decir Yolanda.

—Lo sé, Yolanda, lo sé.

—Vamos a una sala donde podamos sentarnos y hablar —dice el policía. Creo que esta noche tenemos mucho de que hablar.

—¿Y Kraus? —pregunta Yolanda nerviosa.

—La policía lo detuvo.

—Se resistió y tuvimos que disparar —explica el policía—. Está herido, pero no es nada grave. Todo está controlado.

—Pero, ¿quién cantaba? —pregunta Laura.

—Sí, es verdad, ¿quién cantaba?

—Nadie cantaba —dice el policía confuso.

—Esta es una historia antigua —empieza don Alejandro—. Hace tiempo Kraus y yo éramos muy amigos, habíamos hecho hasta espectáculos juntos, pero un día nos peleamos.

—¿Por qué?

—Por una mujer que nos abandonó más tarde a los dos.

—Siga, siga —dice el policía.

—Kraus estaba muy enamorado. Me culpó a mí de todo.

—Entonces, don Alejandro, ¿no volvieron a ver a la mujer? —pregunta Yolanda.

—Durante años, no supimos nada de ella. Hace poco murió.

Don Alejandro explica la historia: para vengarse, Kraus fue a ver a una santera. Poco a poco, esta lo fue dominando. Le gustaba ver el poder que tenía sobre él. Lo convenció de que debía vengarse de don Alejandro. Había enviado anónimos a la escuela, pero nunca se había atrevido a hacer algo más grave. Hasta que Kraus vio una oportunidad cuando algunos profesores del liceo fueron a su espectáculo.

—... y el resto ya lo conocen —terminó don Alejandro—. Yolanda quedaba hipnotizada cada vez que el mentalista decía la palabra «libertad», y hacía lo que este le ordenaba.

—Estoy tan avergonzada —dice Yolanda—. Entonces...

—No fue culpa suya —le explica don Alejandro—. No tiene que preocuparse por eso.

—Pero —pregunta Martín— cuando Guille ha dicho la palabra «libertad», Yolanda ha vuelto a ser ella misma.

—Sí, es extraño. En principio solo puede obedecer al mentalista.

—Quizás Guille tiene poderes.

Guille se pone rojo.

—Yo solo... es que... he dicho «libertad» porque...

Los chicos ríen.

—¿Por qué os reís? —pregunta Guille enfadado.

—Guille, todavía no entendemos qué ha pasado, pero nos has salvado a todos —dice Mónica.

—Eso es verdad —dice Yolanda—. Muchas gracias, Guille. Me salvaste la vida.

—¡Y la nuestra también! —exclama Martín.

—Por cierto —pregunta Sergio— ¿quién era la mujer de blanco que cantaba?

Al oír la pregunta, Marga da un salto. Su cara se pone blanca como el papel.

—¿Qué mujer de blanco? —pregunta don Alejandro—. No vi a ninguna mujer de blanco.

—Sí —dice Laura—, la oímos hablar y cantar en el pasillo.

—No había ninguna mujer. Con la oscuridad seguramente os habréis confundido.

—Pero...

Don Alejandro y el policía se miran.

—Pero si era ella, ¿por dónde salió?

Guille interviene excitado:

—A lo mejor Kraus también es ventrílocuo[1], o la mujer puede aparecer y desaparecer, he leído que…

—No había ninguna mujer de blanco —corta el policía, que no quiere entrar más en el tema.

Ya es de día. Ha sido una noche larga.

—Ahora, chicos, a casa a dormir —dice Yolanda.

—No, no. Nada de dormir —dice don Alejandro—. ¡A clase! Nadie les pidió venir al liceo de noche.

—Pero... —empieza Yolanda.

—Nada de peros. ¡Vida normal!

—Sergio, ¡ya tienes tu cámara! —exclama Raúl al llegar al liceo.

—Eleguá se la devolvió —dice Marga acercándose—. Ahora ya se acabaron los problemas en el liceo.

Martín, Mónica, Laura, Reinaldo y Guille se acercan.

—¡Todo está solucionado! —grita Reinaldo.

—¡Bien! —gritan todos los chicos al mismo tiempo.

—¡Gracias, Eleguá! —grita Marga.

—¡Gracias, Eleguá! —repiten todos.

—¡Y gracias también a ti, Guille! —dice Laura.

Yolanda está con los otros profesores, pero los mira y sonríe.

Martín se acerca a Guille:

—Tío, yo creo que has ganado muchos puntos[2], ¿eh?

Guille se sonroja.

---

[1] ventrílocuo: persona capaz de hablar sin mover la boca ni los labios.

[2] ganar puntos: expresión coloquial que significa aumentar de valor para alguien.

DESPUÉS DE LA LECTURA

CAPÍTULOS 1-2

1. ¿Qué es?

A. Relaciona los siguientes nombres con el lugar al que se refieren:

1. San Ignacio de Loyola	**a**. montaña
2. El Ávila	**b**. ciudad
3. Caracas	**c**. país
4. Venezuela	**d**. calle
5. Boulevard	**e**. barrio
6. Chacaíto	**f**. centro comercial
7. Sambil	**g**. parada de metro
8. Ciudad Universitaria	**h**. liceo

2. ¿Quién es?

Agrupa los siguientes nombres en estas categorías:

profesores   alumnos de Barcelona   alumnos de Caracas

Laura   Sergio   Martín   Don Alejandro   Marga

Mónica   Guille   Reinaldo   Yolanda

3. ¿Dónde está?

A. Sitúa Venezuela en el mapa.

B. ¿Conoces algún país de Latinoamérica? ¿Puedes situarlo en el mapa?

4. ¿Es verdad?

Di si es verdadero o falso:

V F

a. Los chicos del Instituto Gaudí de Barcelona estudian este
trimestre en el Liceo San Ignacio de Loyola de Caracas. ☐☐

b. La relación entre los estudiantes de Barcelona y los de
Caracas es muy mala. ☐☐

c. Los chicos planean ir a una feria esa misma tarde. ☐☐

d. A Guille le gusta su profesora de matemáticas. ☐☐

e. En el liceo han hecho obras y van a pintar. ☐☐

f. La profesora no quiere ir a la feria. ☐☐

g. El centro comercial Sambil es uno de los más grandes
del mundo. ☐☐

h. Los chicos van a la universidad para hacer un curso allí. ☐☐

CAPÍTULOS 3-4

5. ¿Qué significa?

Elige la respuesta adecuada a estas preguntas:

A. Alfredo Kraus es el nombre de un famoso...
a. compositor de jazz norteamericano.
b. científico holandés.
c. cantante de ópera español.
d. trapecista de circo.

B. Un mentalista es una persona que...
a. estudia el comportamiento de la mente.
b. utiliza la agilidad mental, la magia escénica o la sugestión para
hacer trucos relacionados con la mente.

c. piensa mucho.

d. trabaja en la elaboración de preparados de menta.

C. El martes en el liceo hay un accidente en el que...

    a. un andamio cae y hiere a Marga en la cabeza.

    b. Marga se cae y no puede andar.

    c. un coche rojo choca contra la entrada.

    d. un andamio cae por causas desconocidas.

D. El director del liceo es un hombre...

    a. que siempre está agresivo y de mal humor.

    b. que siempre está contento y hace muchas bromas.

    c. que tiene un carácter inestable.

    d. muy aficionado a la santería y las santeras.

E. Marga entra temprano en el liceo para...

    a. estudiar en la biblioteca.

    b. ayudar a los obreros.

    c. buscar su móvil.

    d. hacer algo que no quiere decir a sus compañeros.

6. ¿Cómo está?

Busca entre los siguientes adjetivos los que te parezcan adecuados para describir el estado de ánimo de los personajes.

> malhumorado/a · serio/a · asustado/a,
> nervioso/a · sorprendido/a · entusiasmado/a

1. Alfredo Kraus en el espectáculo.

2. Laura en el espectáculo.

3. Martín al salir del espectáculo.

4. Yolanda cuando sale al escenario.

5. Don Alejandro el día del accidente.

6. Marga el día del accidente del andamio.

7. ¡Y ahora tú!

A. ¿Has estado alguna vez en algún espectáculo de mentalismo o de magia?

....

....

....

B. ¿Te gusta este tipo de espectáculos? ¿Por qué?

....

....

....

CAPÍTULOS 5-6

8. ¿Quién hace qué?

Completa las siguientes frases con los nombres de las personas correspondientes:

a. .... encuentra rota la cerradura de la taquilla.

b. A .... le han robado su cámara de fotos.

c. .... no ha hecho los ejercicios de inglés.

d. .... va a organizar una sesión de santería.

e. A .... no le gusta el tema de los espíritus ni la santería.

f. .... busca en el ordenador información sobre la escuela y su director.

g. .... planea ir por la noche al liceo para investigar.

h. .... no cree en la santería, pero va a ver al santero porque siente mucha curiosidad.

9. ¿Quién piensa qué?

Une las dos partes de las frases siguientes:

Marga		si entran en el edificio por la noche, descubrirán al ladrón.
El santero	cree que	Eleguá, mensajero de los dioses, está ofendido.
Sergio		alguien les ha montado un trabajo.
Mónica		la santería se basa en ideas falsas.

10. ¿Qué quieren hacer?

Di qué crees que quieren hacer los siguientes personajes para averiguar quién es el autor de los robos:

El director · Reinaldo · Sergio

11. ¿Qué es?

En el capítulo 6 se describe la visita de los chicos a un santero. ¿Puedes resumirla brevemente en 4 o 5 frases?

....
....
....
....

¡Y ahora tú!

¿En tu país hay alguna creencia parecida a la santería? Descríbela.

CAPÍTULOS 7-8

12. ¿Por qué…

A. … parece tan desesperado Julián cuando le roban el ordenador?
   a. porque es un ordenador que le regaló Julio Cortázar.
   b. porque en él tiene la única copia del libro que está escribiendo.
   c. porque junto con el ordenador portátil le han robado un libro de Julio Cortázar.

B. … está nervioso el cocinero cuando va a hablar con los profesores?
   a. porque ha oído que estos quieren llamar a la policía.
   b. porque cree que van a cerrar el liceo.
   c. porque han envenenado la sopa.

C. … Martín compra ron?
   a. para hacer una fiesta en el liceo.
   b. por si tiene razón el santero y eso calma al santo ofendido.
   c. para beber con sus amigos a la salida del liceo.

D. … Sergio se siente un poco confuso con los planes de sus amigos?
   a. porque él no cree en la santería y creía que sus amigos tampoco.
   b. porque no sabe qué hacer para encontrar su cámara.
   c. porque Laura le coge de la mano.

E. … Mónica ahora parece partidaria de seguir los consejos del santero?
   a. porque este la ha convencido de que es verdad.
   b. porque no sabe si es verdad o no y piensa que no se pierde nada con probarlo.
   c. porque es una chica que cambia constantemente de opinión.

13. ¿Dónde?

Relaciona estas acciones y personas con su lugar correspondiente:

1. Los chicos se esconden hasta que la escuela queda vacía…	**a.** saltando la verja.
2. Dejan ron y pasteles…	**b.** en los lavabos del primer piso.
3. Los chicos se dividen en dos grupos…	**c.** en el primer piso.
4. Los chicos se encuentran con Yolanda y su jefe…	**d.** en el despacho del director.
5. Don Alejandro, Laura y Sergio se esconden…	**e.** en las puertas y ventanas.
6. Reinaldo y Marga entran en la escuela…	**f.** en los lavabos de chicas.

Y ahora tú...

¿Ha habido alguna vez robos o sucesos extraños en tu escuela? ¿Qué pasó? ¿Se descubrió quién era el culpable? ¿Te han hipnotizado alguna vez o conoces a alguien que haya sido hipnotizado?

14. Piensa y escribe...

A. En la literatura y en el cine se ha tratado muchas veces el tema de los hipnotizadores. ¿Recuerdas alguna obra que trate el tema?

....

....

B. Inventa un final distinto para el libro, desde el momento en que los chicos se encuentran con Yolanda y Kraus.

SOLUCIONES

1   **1.** h; **2.** a; **3.** b; **4.** c; **5.** d; **6.** e; **7.** f; **8.** g.

2   **Profesores:** Yolanda, don Alejandro.
Alumnos de Barcelona: Mónica, Guille, Laura, Sergio, Martín.
Alumnos de Caracas: Marga, Reinaldo.

3

4   **a.** verdadero; **b.** falso; **c.** falso; **d.** verdadero; **e.** verdadero; **f.** falso; **g.** verdadero; **h.** falso.

5   **A.** c; **B.** b; **C.** d; **D.** c; **E.** c.

6   **1.** Alfredo Kraus en el espectáculo está **serio**.
2. Laura en el espectáculo está **nerviosa**.
3. Martín al salir del espectáculo está **entusiasmado**.
4. Yolanda cuando sale al escenario está **sorprendida**.
5. Don Alejandro cuando va al liceo el día del accidente está **malhumorado**.
6. Marga el día del accidente del andamio está **asustada**.

8   **a.** Laura; **b.** Sergio; **c.** Martín; **d.** Reinaldo; **e.** Laura; **f.** Guille; **g.** Sergio; **h.** Mónica.

9   Marga cree que alguien les ha hecho *un trabajo*.
El santero cree que Eleguá, mensajero de los dioses, está ofendido.
Sergio cree que si entran en el edificio por la noche, descubrirán al ladrón.
Mónica cree que la santería se basa en ideas falsas.

10   El director quiere registrar las mochilas de los alumnos.
Reinaldo quiere organizar una sesión de santería.
Sergio quiere quedarse en el liceo.

11   respuesta posible:
Un hombre les explica las creencias y leyendas relacionadas con los objetos.
Reinaldo explica al santero su problema. El santero pregunta a Eleguá la causa de los accidentes.
El santero les explica que Eleguá está ofendido por alguna causa y que deben ofrecerle pasteles y ron.

12   **A.** b; **B.** c; **C.** b; **D.** a; **E.** b.

13   **1.** f; **2.** e; **3.** c; **4.** d; **5.** b; **6.** a.